LE JARDIN D'AMSTERDAM

DU MÊME AUTEUR

Ha Long, Leméac, 2004.
Les murs blancs, Leméac, 2006.
Au matin, Leméac, 2008.
Les heures africaines, Leméac, 2013.

JEUNESSE

Rose-Fuchsia et la nouvelle école, Les éditions du soleil de
    minuit, 2008.
Rose-Fuchsia et les mamans, Les éditions du soleil de
    minuit, 2010.
La fille d'en face, Leméac, 2010.

LINDA AMYOT

Le jardin d'Amsterdam

roman

LEMÉAC | JEUNESSE

Ouvrage édité sous la direction
de Maxime Mongeon

Photo de couverture : Lay/Shutterstock.com

Leméac Éditeur reconnaît l'aide financière du gouvernement du Canada par l'entremise du Fonds du livre du Canada pour ses activités d'édition et remercie le Conseil des arts du Canada, la Société de développement des entreprises culturelles du Québec (SODEC) et le Programme de crédit d'impôt pour l'édition de livres du Québec (Gestion SODEC) du soutien accordé à son programme de publication.

ISBN 978-2-7609-4216-5

© Copyright Ottawa 2013 par Leméac Éditeur
4609, rue D'Iberville, 1er étage, Montréal (Québec) H2H 2L9
Dépôt légal – Bibliothèque et Archives nationales du Québec, 2013

Imprimé au Canada

3 septembre

La pancarte. Plantée juste devant la clôture, tout près de la grille de fer. Je l'ai vue dès que j'ai tourné le coin. Et je me suis arrêtée aussitôt. Le souffle coupé. Complètement désorientée. J'ai même vérifié le nom de la rue sur la plaque de rue. J'avais dû me tromper. Mais non. Et puis, je connaissais cette rue par cœur. Cette intersection. Ce bout de trottoir. Cette maison. Ce jardin, derrière la clôture. Alors, quoi? *À vendre.* Impossible! Jamais Adèle…

Un pas devant l'autre. J'ai continué d'avancer sans trop m'en rendre compte. Un pas devant l'autre. Lentement. La pancarte prenait peu à peu une place immense. Démesurée. Je ne voyais plus qu'elle. *À vendre.* Rien ne semblait bouger derrière la clôture blanche. Aucun mouvement derrière la fenêtre de la cuisine. Où était Adèle?

Soudain, je me suis aperçue que je courais. À cause de mon souffle haletant. Du bourdonnement dans mes oreilles. Du spasme qui me tordait le ventre. Je me suis jetée sur la grille de fer. Fermée. *Adèle ? Tu m'ouvres ?* Le son de ma voix m'a terrifiée. Aigu. Paniqué. *Adèle ?* La porte de la cuisine ne s'est pas ouverte sur Lou, toute contente de me revoir, les oreilles battant au vent. Sans reprendre haleine, je me suis précipitée au bout du pâté de maisons et j'ai remonté le trottoir pour courir encore jusque devant la porte principale. *À vendre.* Une autre pancarte, incompréhensible. Avec les mêmes couleurs criardes. Le même nom d'agent immobilier.

J'ai appuyé sur la sonnette. Rien. Aucun mouvement. Silence. De nouveau, j'ai appuyé. Encore et encore. Un geste inutile. Absurde. Mais le seul que je pouvais faire pour tenter de maîtriser mon désarroi. J'ai tourné la tête d'un côté et de l'autre. Les voisins étaient absents. Partis pour le long week-end de la fête du Travail, sans doute. L'école recommençait demain. Et Adèle n'était pas là. Adèle vendait sa maison. Son jardin. Que s'était-il passé pendant mes vacances ? J'étais partie à peine dix jours avec mon père.

J'ai enfin cessé de sonner à la porte close. J'ai tourné le dos à la maison. Et je me suis effondrée sur la première marche de l'escalier du perron. *À vendre.* Mais jamais Adèle…

Quelques mois plus tôt...

Je crois que c'est à cause du chapeau. À cause du vent qui a fait voler le chapeau dans les airs, par-dessus la haute clôture de bois, jusqu'à mes pieds. Ou peut-être à cause de ce qu'elle a lu dans mes yeux, cet après-midi-là. J'ai entendu un petit cri, puis un rire. La grille de fer s'est ouverte toute grande, en grinçant un peu, et elle est apparue. Un bouquet de tulipes à la main. Elle a croisé mon regard au moment même où je me relevais avec son étonnant chapeau. Puis elle m'a souri. Un sourire aussi éblouissant que le soleil effronté qui remplissait mes yeux de larmes.

— C'est très gentil de l'avoir rattrapé ! J'y tiens beaucoup. Beaucoup.

Elle s'est avancée sur le trottoir. A refermé la grille derrière elle. Du fond du jardin, une petite boule noire et blanche est accourue. Se heurtant le museau au grillage, avant de s'asseoir patiemment et de nous fixer l'une et l'autre avec des yeux ronds.

— Ce chapeau, c'est mon amoureux qui me l'a donné. Le tablier aussi. Alors, c'est comme s'il m'accompagnait chaque fois que je les porte.

Ébahie, je la dévisageais. Comment avait-il pu lui offrir des vêtements aussi extravagants? Enfin!… quand on est vieux, on ne porte pas un chapeau rouge. Ni un tablier de jardinier avec un tel entrelacement de fleurs écarlates, orangées, fuchsia. Dans ses mains, les tulipes semblaient folles de jalousie. Et elle était vieille, cette petite bonne femme. Même très vieille. Pas très grande, plus maigre que maman, et encore plus ridée que la mère de maman. La seule grand-mère qui me restait. Ou plutôt, ce qui en restait. Un corps informe et une mémoire en lambeaux. Si minuscule qu'elle avait même oublié le prénom de sa fille unique. Qui s'obstinait néanmoins à lui rendre visite toutes les semaines. Moi, je ne pouvais plus. Ça faisait trop mal de n'être personne à ses yeux.

La vieille dame, elle, souriait. On aurait dit que son sourire n'avait pas assez de ses lèvres pour s'étirer. Il étirait vers les tempes ses yeux ornés d'un lacis de petites lignes. Et malgré le tablier multicolore, le chapeau excentrique, je l'ai enfin reconnue. À cause du sourire. Le même qu'elle m'avait déjà adressé à la pharmacie du boulevard et au dépanneur, juste au coin de la rue. Je lui avais tenu la porte, deux ou trois fois.

— Je crois que nous allons acheter notre lait au même endroit.

— Oui, j'habite un peu plus haut. Deux coins de rue plus loin.

Elle continuait de me regarder, et je restais plantée devant elle. Son sourire me faisait du bien. J'avais oublié l'examen de sciences. J'avais oublié le dernier cours de la journée. Et, surtout, mon voisin de pupitre. Enfin, presque…

— Je… Je dois y aller.

— Oui, bien sûr! Puisque tu passes tous les jours devant chez moi, arrête-toi une autre fois. Je te montrerai mon jardin.

J'ai hoché la tête. Sans répondre vraiment. Elle me plaisait bien, mais la visiter… J'avais autre chose à faire. J'ai esquissé un pas.

— Tiens! Mon premier bouquet de tulipes de la saison. Je crois que tu en as plus besoin que moi, aujourd'hui.

Stupéfaite, je me suis retournée vers elle. De nouveau, les larmes montaient. Sans un mot, elle s'est avancée, me tendant toujours les tulipes. J'ai fini par refermer doucement mes doigts autour du bouquet. Des fleurs rouges, jaunes, blanches, orangées, mauves. Gaies comme cette journée de début mai. Comment avait-elle deviné?

C'est ainsi qu'elle est entrée dans ma vie. Le chapeau, d'un rouge coquelicot, était extraordinaire. Le jardin, plus encore. Et elle, beaucoup plus encore. Mais ça, je ne l'ai compris que bien après.

Les semaines suivantes, je suis passée à quelques reprises devant les grilles du jardin. Avec Lena, bien entendu. Nous rentrions toujours ensemble puisqu'elle habitait juste en face de chez moi. Sauf les mardis où elle allait à son cours de boxe. De temps en temps, je jetais un coup d'œil entre les barreaux de fer. Pour apercevoir parfois un bout de chapeau rouge ou un dos un peu courbé sur ses fleurs. Et puis, je ne sais trop pourquoi, je me suis arrêtée. J'étais seule ce jour-là. Un jeudi de la fin mai. Lena était allée souper chez Marianne. Ma vieille voisine est venue tout de suite m'ouvrir. Comme si elle m'avait attendue.

— Entre, c'est l'heure de ma collation. Pour moi, ce sera mon petit lait au chocolat hollandais. Je t'en prépare un ? Il est vraiment délicieux. Eh bien, viens t'asseoir. Je reviens tout de suite.

Un peu étourdie, je me suis installée à la table sous la tonnelle. Je n'avais pas assez de mes deux yeux pour voir toutes les fleurs, tous les arbustes. Pas assez de mes deux narines pour sentir tous les parfums de son jardin. Elle a grimpé quelques marches et est entrée dans la maison. Par la porte entrouverte, la même petite boule noire et blanche s'est faufilée et, toute joyeuse, s'est dirigée vers moi sans la moindre appréhension.

— Tu as déjà fait la connaissance de Lou ? Elle est un peu fofolle, mais elle se comporte toujours très bien envers les fleurs et les plantes. Et avec mes amis. Tiens, ton chocolat. Avec des biscuits au beurre et au sel. J'en raffole. Goûte !

Un instant, nous avons bu le chocolat, mangé les biscuits. Nous ne parlions pas. Elle souriait en me regardant, la tête un peu penchée. Moi, j'étais trop abasourdie pour dire un mot. À mes pieds, le petit *shih tzu* remuait la queue en me fixant de ses yeux noirs implorants.

— Ne te laisse pas avoir ! Elle adore les biscuits. Elle va te faire le coup du petit chien piteux jusqu'à ce que tu ne puisses plus résister. Ah ! et au fait, puisque nous devons être amies, je m'appelle Adèle.

— Moi, c'est Élaine.

Je ne trouvais rien à ajouter. C'était curieux, et pourtant évident : nous allions être amies. Nous l'étions déjà. Depuis l'instant où elle m'avait offert son bouquet de tulipes, presque un mois plus tôt. Avec son sourire inimitable.

Et ses yeux qui me regardaient vraiment. Je continuais donc de boire son chocolat, de manger ses biscuits, silencieuse. J'étais bien.

— J'ai souvent pensé à toi... Ça va mieux que l'autre jour, Élaine?

J'ai plus ou moins hoché la tête, hésitante. Pourtant, je n'avais pas envie de nier. De faire semblant. Je suis très bonne pour ça. Faire semblant. Même ma mère n'y voit que du feu. C'est d'ailleurs la seule stratégie vraiment efficace pour l'empêcher de s'inquiéter, et de me questionner à n'en plus finir. Mon père, lorsque nous nous voyons, insiste un peu parfois : *Tout va bien, Élaine, tu es sûre?* Je n'ai alors qu'à lancer un *Puisque je te le dis!* définitif pour qu'il change de sujet. Je n'ai jamais besoin de répéter avec lui. Sans doute parce que nous sommes trop pareils là-dessus. Il n'y a que mon beau-père, je crois, que je ne réussis pas tout à fait à convaincre. Il continue de m'observer, d'un air songeur, tandis que je me concentre sur la lasagne aux épinards ou le fameux poulet aux abricots de maman. Parfois, les repas sont un vrai supplice. Surtout quand on a un psy en face de soi. À vrai dire, pas tout à fait un psy. Paul est travailleur social. Mais, bon, on doit quand même se méfier.

Il n'y a qu'avec mes amis que je ne fais pas semblant. Je veux dire : mes amis les plus proches. Pas tous, évidemment. Danaé, et Marianne, et Adrien. Et puis Lena. Quoique Lena...

Depuis son accident, les choses ne sont plus tout à fait pareilles. Elle a changé, Lena. Ou plutôt… Comment dire? C'est toujours la même Elena Paolucci. Avec ses longs cheveux bruns ondulés et son rire exubérant. Sa vitalité. Sa façon de parler, de marcher. De toujours attirer l'attention. Celle des garçons, bien sûr. Elle est si belle, Lena. Et celle des profs, qui n'en finissent plus de la citer en exemple. Elle est si intelligente. Si talentueuse. Et c'est vrai, je le jure. Lena est une fille exceptionnelle. Mais quelque chose s'est transformé depuis qu'elle a enfin émergé du coma, après l'accident. Elle ne me semble plus aussi assurée. Une sorte de fragilité transparaît constamment.

Qu'a-t-elle ressenti dans son long sommeil? Se rendait-elle compte que nous étions là? Ses parents, sa grand-mère, ses frères. Et moi. Entendait-elle les paroles réconfortantes, les propos anodins de la vie quotidienne? Qui continuait, malgré tout, sans elle. Les potins de l'école que je lui rapportais chaque soir? Et a-t-elle compris le reste? Ce que je lui ai avoué? Ces mots que j'avais trop longtemps gardés. Enfouis, loin, très loin, au fond de moi. Et depuis si longtemps. Je ne lui en ai jamais reparlé, après…

Mais peut-être est-ce moi qui ai changé? Un peu? En tout cas… Ce jour-là, j'étais installée à la table du jardin d'Adèle et je ne voulais pas faire semblant. Pas avec elle.

— Oui… c'est…

Adèle me regardait, attentive. Sans rompre le silence. La tête un peu penchée. Les mains enfouies dans le pelage de Lou qui, déçue de ne pas avoir eu droit aux biscuits, s'était réfugiée sur les genoux de sa maîtresse.

— C'est… Alex…

— Ah! Alex…

Aucun mot de plus. Seulement ce *Ah! Alex…* Comme si cela voulait tout dire. Qu'il n'y avait rien d'autre à comprendre. Et c'était bien cela. Tout reposait sur ce seul prénom depuis longtemps. Trop longtemps. Plusieurs mois. Et je n'arrivais pas à m'en défaire. Même si j'essayais et j'essayais encore de faire taire la voix qui, quelque part en moi, répétait ce prénom. Celui d'un imbécile, d'un crétin, d'un foutu idiot qui n'était même pas amoureux de moi.

Adèle me regardait toujours. Moi, je regardais les pommiers en fleurs. Beaux à pleurer. C'est pour ça que les larmes ont commencé à couler sur mes joues. Juste pour ça. Puis elle a baissé la tête vers la petite chienne qui somnolait. Un moment, elle a paru tout à fait absorbée par ses doigts qui allaient et venaient tout doucement dans les poils soyeux. Hypnotisée, je suivais ses gestes lents. J'aurais voulu être Lou. J'aurais voulu poser ma tête sur les genoux d'Adèle et sentir sa vieille main dans mes cheveux. Une main aux veines saillantes, toute tavelée. Elle semblait si apaisante, la main d'Adèle.

— Tu en es amoureuse.

Adèle n'avait pas posé une question; elle connaissait déjà la réponse. Moi, je ne savais plus ce que je pensais. Ce que je ressentais. Ce que je voulais, surtout.

— Je… Oh! C'est trop compliqué.

— Hum… L'amour est très simple. C'est ce qu'il y a autour qui est compliqué.

Je n'étais pas très sûre de comprendre. Mais Adèle affichait un sourire un peu triste, et je n'ai pas osé la questionner. Elle était vieille, elle vivait seule avec une petite chienne. Cet amoureux qui lui avait offert le chapeau rouge, où était-il maintenant?

Ce qu'il y a autour… Ce qu'il y a autour d'Alex, c'est Élodie-Maude. Et Jeanne. Et Anne-Sophie. Et Maeva. Et Catherine. Des mouches. Qui tournent, tournent, tournent. Avec un agaçant petit bruit d'ailes. Et un bourdonnement constant, aigu. Celui de leurs voix criardes. Moi, je suis loin. Il ne m'entend pas. Il ne me voit pas. Je suis juste la fille du cours de maths.

Elles étaient là, tantôt, à la sortie de l'école. Pas toutes à la fois, bien sûr. Mais toujours au moins deux ou trois collées à lui. À le regarder avec des grands yeux stupides. À s'extasier sur tout ce qu'il dit. À rire de toutes ses blagues. Et il a tellement l'air d'aimer ça! Moi, je ne souris même pas quand il fait l'intéressant dans le cours. Et je ne lui jette un œil qu'à la dérobée. Quand il ne regarde pas de mon côté. Vers le pupitre à sa droite. Une torture : je suis assise juste à côté de lui, et il ne s'occupe pas de moi. Sauf quand il a besoin d'un coup de main. Il est nul en maths. Et moi je l'aide, bien sûr.

Lena m'a dit qu'il est super bon en français. Ils sont dans la même classe. Depuis le début de l'année, ils se font compétition. C'est à qui aura la meilleure présentation orale, le plus beau texte. Mais ils s'entendent bien. Pas amis, non, mais ils se saluent quand ils se croisent dans les couloirs. La dernière fois, hier matin, j'étais avec elle. C'est sans doute pour ça que j'ai osé. *Salut, Alex...* Il a eu l'air très surpris. Tellement qu'il est resté muet. Il paraît pourtant qu'il a bégayé à son tour un *Salut, Élaine...* presque inaudible. Mais c'est impossible : je suis sûre qu'il ne se rappelle même pas mon prénom. Pourtant Lena insistait : *Ben, voyons, je te dis que je l'ai entendu ! Pourquoi il ne t'aurait pas dit salut, de toute façon ?* Je lui ai donné raison, pour qu'elle me fiche la paix. Et pour ne pas éveiller sa curiosité. Je ne lui ai jamais avoué que je... Je n'en ai parlé à personne, d'ailleurs. Alors pourquoi est-ce que je racontais tout ça à cette Adèle assise là, en face de moi, avec son regard clair et doux sur moi ?

J'ai repris soudain un biscuit au sel. Comme si je mettais ainsi un point au bout de ma dernière phrase. Je n'en revenais pas. Tout ce que je lui avais confié depuis que j'étais installée dans son jardin... Pensive, elle avait de nouveau baissé la tête et continuait toujours d'enfouir lentement ses doigts dans le pelage de la petite chienne endormie. On entendait ici et là quelques pépiements dans les branches, le moteur d'une voiture et le bruit de mes dents sur le biscuit sec.

— J'ai connu un Alex, autrefois.

J'attendais, mais Adèle ne poursuivait pas. De nouveau absorbée dans ses pensées. Ses souvenirs, sans doute. Heureux ? Malheureux ? Je n'osais pas la questionner, même si j'en mourais d'envie. Une sonnerie de téléphone a rompu la quiétude. La voix forte et exaspérée de la voisine nous parvenait derrière la haie, et Lou s'est réveillée en sursaut pour se lancer d'un bond vers le fond du jardin. *T'as vu l'heure qu'il est ?* La voisine avait crié. D'un geste machinal, j'ai jeté un coup d'œil à ma montre. Dix-huit heures dix. J'étais avec Adèle, au cœur de son jardin, depuis la fin des classes. Ma mère devait s'inquiéter de mon absence depuis un bon vingt minutes. Dix minutes sans nouvelles, c'était une éternité. Ma mère avait la patience courte, mais l'inquiétude vaste. Elle la pratiquait comme un art un peu tous les jours. J'ai dû me sauver rapidement ce jour-là.

Adèle m'a raccompagnée jusqu'à la grille du jardin. Avec un petit jappement, Lou est accourue. Ses oreilles bicolores battaient en cadence. Sa maîtresse l'a aussitôt reprise dans ses bras. *Elle serait bien trop contente de sortir avec toi!* Adèle ne m'a pas invitée à lui rendre visite de nouveau. Je n'ai pas promis de revenir. C'était si évident. Mais j'ai quand même fait quelque chose d'étrange : je me suis penchée et j'ai embrassé Adèle sur la joue. Sa peau était fine et douce comme celle de mon frère quand il était bébé.

— Vous… tu… parlais d'Alex, l'autre jour. Je veux dire votre… ton Alex… Il était beau?

J'avais un peu de mal à m'y faire. Adèle tenait à ce que je la tutoie. J'avais toujours tutoyé ma grand-mère. Mais c'était ma grand-mère, justement. Adèle était… Une vieille dame, pas même de ma famille. Mais lorsque son visage ridé et souriant est apparu derrière la grille de fer, j'ai eu une drôle de sensation. Comme si elle m'avait beaucoup manqué depuis une semaine.

Je n'avais parlé d'Adèle à personne. Ni à ma mère lorsque j'étais arrivée à la course le jeudi précédent. J'avais expliqué mon retard par une longue discussion, après l'école, avec Danaé qui avait eu besoin de se confier sur le divorce houleux de ses parents. Et, surtout, sur la décision de son père d'accepter un contrat de trois ans à Dubaï. Il promettait de revenir aussi souvent qu'il le pourrait. De l'inviter pendant les vacances. Mais c'étaient des paroles en l'air, simplement pour la consoler. Il ne tiendrait pas ses promesses. Elle en était sûre. Alors, elle resterait toute seule avec sa mère. Ça lui faisait peur. Et elle les haïssait tellement. Pour leurs lourds silences qui figeaient l'air de la maison lorsqu'elle était là. Et pour leurs insultes sifflées entre les dents lorsqu'ils la croyaient dans sa chambre.

Je n'avais pas tout à fait menti à ma mère. J'avais bien eu cette longue conversation avec Danaé, la veille, pendant qu'on attendait justement son père pour nous ramener à la maison après le cours de danse. Comme chaque fois, il était en retard. J'avais écouté mon amie, sans trop parler. Mes parents à moi s'étaient séparés sans se sauter à la figure. Presque amicalement. Et puis j'avais trois ans. Je ne me rappelais plus vraiment si j'avais été attristée, ou fâchée. C'était comme ça : parfois, j'étais avec maman, parfois, avec papa, mais jamais avec les deux en même temps. Depuis que mon père avait obtenu un poste de soir à l'hôpital, je vivais avec ma mère et mon beau-père. Et, bien sûr, mon affreux petit frère qui me tombait souvent sur les nerfs. Et que j'adorais. Mais je voyais mon père au moins une fois toutes les semaines. Qu'aurais-je pu dire à Danaé ? Mais ça lui avait fait du bien de se confier. *Une chance que t'es là, Élaine !* Moi, je ne voyais pas très bien à quoi je servais, mais bon… Je l'écoutais.

Maman avait hoché la tête. Elle connaissait bien les parents de Danaé, avant même que nous devenions amies. Ils étaient tous les trois allés à la même école au secondaire. Le père de Danaé avait même été le petit ami de ma mère pendant quelques mois, je crois. Mais je ne l'ai jamais dit à Danaé.

— Tu aurais quand même pu m'appeler ou me texter! À quoi est-il censé servir ton fameux cellulaire?

— Euh… oui, excuse-moi…

Bon, je devrais me rappeler d'avertir ma mère, la prochaine fois. Inutile de la mettre en colère; c'était plutôt rare et je n'aimais vraiment pas ça lorsque ça lui arrivait. Inutile non plus de l'inquiéter : elle se lancerait dans des questions à n'en plus finir. Et je ne lui résistais pas longtemps. Je ne voulais pas lui parler d'Adèle. Je ne sais pas trop pourquoi. Adèle était mon secret. Et c'est dans son jardin que j'ai eu envie de me réfugier, ce mardi-là, en finissant l'école. Après le cours de maths.

— Mon Alex?

— Vous… tu as dit que tu avais connu un Alex, autrefois.

— Ah! Mais ce n'était pas *mon* Alex. C'était le frère de mon amoureux.

— Et il était beau?

— Mon amoureux? Oh oui! Mais Alex était très beau. Vraiment très beau. Un visage d'ange.

— Ah!…

Le mien… Je veux dire cet Alex qui n'est pas à moi, il est pareil. Vraiment très beau.

Toutes les filles de l'école sont pâmées. Pas moi… Je joue toujours l'indifférente lorsque Danaé et Marianne, et même Lena, s'extasient. *Mais, quand même, Élaine, tu ne peux pas dire qu'il n'est pas super beau !* Je hausse les épaules, et elles continuent de croire qu'Alex Fortier-Lemelin me laisse de marbre. Adrien, lui, se moque d'elles. *Wow ! Le beau Alex ! Vous avez vu, les filles, il m'a regardée !* Il imite leurs voix, et il rit. Un peu trop fort, je trouve. Mes amies s'y mettent à leur tour : *T'es juste jaloux, Adrien Morel !* Et elles rient aussi. Sans se rendre compte, je crois, de la façon dont il regarde Marianne quand ils ont fini de rigoler comme des idiots. Mais je me trompe sûrement. Et puis Marianne est toujours avec Nico, même s'ils se chicanent sans arrêt.

Adèle avait fait une drôle de moue en parlant du frère de son amoureux. Un air que je n'arrivais pas à déchiffrer. J'ai hésité puis, cette fois, j'ai demandé.

— Un visage d'ange… Mais il ne l'était pas, c'est ça ?

— Au contraire. Alexander avait le cœur aussi beau que son visage. C'est bien pour ça que ça nous a tous brisés lorsqu'il a été tué.

La voix d'Adèle semblait soudain avoir perdu sa légèreté. J'ai pressenti un drame. En silence, j'ai attendu. Je ne voulais pas raviver sa peine. Comme si elle avait deviné le chagrin de sa maîtresse, Lou s'est précipitée sur elle.

La petite chienne n'a pas insisté longtemps ; Adèle l'a prise dans ses bras pour la serrer contre elle.

— Ça va, Lou ! Ne t'inquiète pas ! Allez, va voir si le lilas fleurira bientôt. Il tarde, cette année.

Elle a reposé l'animal par terre. Lou s'est assise, les yeux fixés sur la vieille dame. Sa maîtresse lui racontait-elle n'importe quoi ? Sans doute rassurée, la petite chienne est repartie avec sa curieuse démarche. Comme le déhanchement d'une fille sur des talons aiguilles. Adèle a bu une gorgée de son chocolat hollandais. Puis elle a inspiré profondément.

— Alex… En fait, il s'appelait Alexander, mais nous l'appelions tous Alex… Il avait dix-huit ans quand il est mort. Quelques semaines à peine avant la fin de la guerre. C'est bête, non ?

Je la dévisageais, stupéfaite. Que me racontait-elle là ? La guerre… Quelle guerre ? La Deuxième Guerre mondiale ? C'était si loin. Elle avait débuté en 1939, au mois d'août 1939. Et elle s'était terminée en 1945. Six ans de tueries, partout en Europe et en Asie. Je l'avais étudiée au cours d'histoire tout récemment. Si Alex était dans l'armée à cette époque, il aurait eu 86 ans aujourd'hui. Adèle était-elle si âgée ?

— Alex était si jeune… Il rageait chaque fois que la radio nous apportait des nouvelles d'Europe. Il s'est enrôlé dans l'armée canadienne sous une fausse identité et, tout de suite, il a été expédié de l'autre côté de l'Atlantique.

Je ne disais rien, tentant de comprendre ses bribes de confidences.

— Il était vraiment déterminé, Alex. Il a raconté qu'il partait dans le bois, dans le Témiscamingue. Au chalet de son ami Maurice. Avant que ses parents se rendent compte du mensonge, il était trop tard. Il était déjà sur un champ de bataille, en Hollande.

— Mais pourquoi une fausse identité?

Adèle s'est tournée vers moi, l'air encore un peu perdu dans ses souvenirs. Je me demandais quelles horribles images elle voyait toujours dans sa tête après toutes ces années. Des combats, il y en a eu ailleurs depuis. Il y en a toujours, quelque part. En Iraq. En Afghanistan. Au Rwanda. En Bosnie. De cette guerre-là, la mère de ma copine Dzana nous avait un peu parlé. La peur, la fuite. La perte de tout ce qu'elle aimait, là-bas, avant que tombent les bombes. Les gémissements des blessés. Et les morts, partout des morts. Tordus. Déchiquetés.

— Ah! Alex n'était pas Canadien. Il était Hollandais. Néerlandais, comme on dit maintenant.

J'ai laissé à Adèle le temps de chasser les fantômes de son esprit. Elle a respiré très fort, comme quelqu'un qui vient de fournir un effort énorme. Puis elle a avalé une longue gorgée de chocolat... hollandais. Je comprenais, maintenant.

— Les De Vries faisaient partie du personnel de la princesse Juliana, l'héritière de la couronne des Pays-Bas. Elle vivait à Ottawa avec ses enfants depuis le début de la guerre. Le reste de la famille royale était exilé à Londres. À cause de l'invasion allemande.

— Ils avaient plusieurs enfants?

— Alex était l'aîné. Il venait tout juste d'avoir quinze ans quand ils sont arrivés. Les jumeaux avaient le même âge que moi. Douze ans. Nous formions un trio inséparable, Klara, Joris et moi.

Joris... Yoris, comme on le prononçait en néerlandais. La voix d'Adèle changeait chaque fois qu'elle disait son nom. Un peu plus profonde, un peu plus lente. Comme si elle savourait les sons sur sa langue. Et juste à sa façon de dire ainsi Joris, j'ai compris. Adèle était tombée amoureuse à douze ans, pour toujours.

Dans le jardin d'Adèle, le lilas avait enfin fleuri. Puis les azalées. Je les retrouvais avec le même bonheur tous les mardis. Quand Lena ne revenait pas de l'école avec moi. Je retrouvais Lou. La petite chienne me reconnaissait maintenant et accourait vers moi, tout excitée. Je la retrouvais, elle. Immuable. Avec son grand tablier, son chapeau coquelicot, son chocolat. Et ce sourire ineffable. Ce regard accueillant. Bienveillant.

Nous étions amies, tout simplement. Même si cela aurait pu sembler étrange à certains. Alors, je n'en parlais toujours pas. J'avais fini par raconter à ma mère que j'allais faire la lecture à une vieille dame, les mardis après l'école. Et que je continuerais tout l'été. Pendant les vacances. Elle était ravie, apparemment. Mon beau-père aussi.

— D'où t'est venue cette idée ?

— Euh… je ne sais pas trop. Peut-être à cause d'Adrien. Il promène les chiens de ses voisins tous les jours. Parce que la vieille dame se déplace avec une marchette, désormais.

Adrien non plus n'avait jamais parlé de ça. J'étais seule à le savoir, je crois. Je l'avais croisé à quelques reprises avec les deux labradors. Il habitait tout près de chez mon père. La dernière fois, je revenais du dépanneur. Mon père dormait encore, revenu vers minuit et demi de son travail à l'hôpital, et il ne restait plus ni lait ni pain à l'appartement. Nous avions marché ensemble, Adrien et moi, deux ou trois coins de rue. C'est là qu'il m'avait parlé des Thériault, ses voisins. Qui le gardaient autrefois, après l'école, jusqu'au retour de sa mère qui travaillait tard. Souvent, il mangeait avec eux. Parfois même, il dormait dans l'ancienne chambre de leur fille. Depuis que madame Thériault avait eu un accident vasculaire cérébral, sa mère allait faire leur épicerie. Et Adrien promenait les chiens. Ça ne l'embêtait pas. Il aimait les chiens. Et les Thériault.

— Mais j'aimerais mieux que tu n'en parles pas aux autres, Élaine. C'est mon affaire à moi, ça.

J'avais promis, bien sûr. Je comprenais. Je le comprenais encore plus, désormais. Adèle, ça ne regardait que moi. Mais je devais fournir quelques explications à ma mère pour justifier mes absences. L'histoire de la lecture à voix haute pour Adèle m'était venue tout d'un coup. Et puis, ce n'était pas tout à fait un mensonge. Parfois, Adèle me demandait de lire de petites choses en caractères minuscules. Une recette, un entrefilet de journal, un mode d'emploi. Je pourrais proposer de lui lire un roman…

— Et elle s'appelle comment?

— Qui ça?

— Cette vieille dame à qui tu fais la lecture, voyons!

— Adèle… Adèle De Vries.

— Curieux nom…

— Son mari était Hollandais.

Adèle avait-elle épousé Joris? Je l'ignorais, mais c'était venu tout seul. Depuis cette fois où elle m'avait longuement parlé d'Alex et de son enfance à Ottawa, Adèle n'avait plus reparlé des De Vries. Ce Joris… J'aurais tant voulu savoir… Mais je n'osais pas la questionner. Je ne devais pas la bousculer; je le sentais. Alors j'attendais ses confidences.

Il ne restait déjà plus que quelques semaines avant la fin de l'année scolaire. Je ne reverrais plus Alex pendant des semaines. Et je ne savais plus très bien si cela me soulageait. Ou m'attristait. La session d'examens approchait. J'étudiais, mais ça ne m'inquiétait pas. J'avais toujours eu de bonnes notes. Ce qui n'était pas le cas d'Alex. En maths, du moins. Ni celui de Danaé. Surtout en anglais. Ça ne lui entrait pas du tout dans la tête. Elle balbutiait l'anglais comme un enfant de six ans. Conjuguait tout de travers. Ne retenait aucun nouveau terme, se contentant d'un vocabulaire très limité. Les examens la rendaient toujours irritable. Et avec le divorce de ses parents, ça ne s'arrangeait pas du tout. Ce midi-là, elle avait piqué une vraie crise à Adrien. Qui n'avait dit que la vérité à Marianne.

— Ben voyons ! C'est sûr que ça allait pas durer toujours ! Il te fait de la peine sans arrêt, ton maudit Nico !

Marianne a sursauté. Sans doute aussi surprise que nous du ton et de la remarque d'Adrien. C'était si inhabituel. Puis elle a de nouveau éclaté en sanglots. Et Danaé s'est mise à engueuler Adrien. Comme si elle n'avait attendu que ça pour déverser toute sa rage sur quelqu'un. Le premier venu. Ou, mieux encore, sur Adrien. Le doux Adrien. Qui ne lui en tiendrait pas rigueur. Effacerait tout. Et ne cesserait pas d'être son ami. Sous les paroles acerbes et les regards furieux de Danaé, il a simplement haussé les épaules. Puis, sans rien répliquer, s'est levé et est sorti de la cafétéria.

— Celui-là, qu'est-ce qui lui prend ! C'est vraiment pas le moment de faire suer !

La colère de Danaé ne tombait pas. Moi, j'avais vu le visage d'Adrien lorsqu'il était parti. Triste. Et même plus que cela : défait.

— C'est vrai quand même, et tu le sais. Nico t'a fait tellement pleurer depuis que vous êtes ensemble.

Lena avait parlé d'une voix apaisante sans se préoccuper de l'air réprobateur et exaspéré de Danaé. Marianne a hoché la tête, s'essuyant les yeux avec des gestes de tout jeune enfant.

— Je le sais, mais je l'aime…

Je n'avais vraiment plus envie d'entendre cette sempiternelle rengaine. La seule que Marianne semblait connaître depuis qu'elle sortait avec Nicolas. Et puis, j'avais autre chose à faire. Beaucoup plus important.

— Je vous laisse toutes les trois. À tantôt !

— Tu vas où, Élaine ?

Je n'ai pas répondu. Parfois, Danaé me tombait sur les nerfs avec sa manie de toujours vouloir tout contrôler. Et c'était pire depuis quelque temps. Je suis allée à la bibliothèque, puis dans l'allée des cases. Aucune trace d'Adrien. En passant devant la grande porte vitrée, je l'ai vu. Au bout de l'aire de stationnement des autobus. Assis par terre, dos à l'école. Il n'a même pas levé la tête lorsque je me suis installée à côté de lui. Le silence a duré un moment.

— Il faudra bien que tu te décides à lui dire.

Adrien m'a enfin regardée, avant de baisser la tête de nouveau. Il n'en finissait plus de triturer un vieux bout de fils tressés jaunes et rouges qui pendouillaient au bout de la fermeture éclair de son sac de sport.

— Dire quoi à qui ?

— Adrien ! Arrête de faire l'imbécile !
Depuis le retour des vacances des Fêtes, j'ai
bien vu comment tu la regardes, Marianne !

Ses doigts ont brusquement cessé de
s'agiter et je l'ai senti se raidir. Puis il a
haussé les épaules. De ce mouvement familier,
à mi-chemin entre la désinvolture et la
résignation.

— C'est bête, tu trouves pas ? Toi, tu le
remarques. Pas elle.

Adrien n'a rien ajouté, et nous sommes restés
assis en silence l'un à côté de l'autre jusqu'à
ce que retentisse la cloche de la reprise des
cours. Il avait raison : c'était bête. Et compliqué.
Adrien aimait Marianne. Et Marianne aimait
Nico. Qui ne l'aimait plus. Ou, du moins, c'est
ce qu'il lui avait jeté à la figure lors de leur
dernière dispute.

Adèle a simplement hoché la tête lorsque je
lui ai raconté. À mon arrivée, ce jour-là, elle était
en train de lire une lettre qu'elle a repliée et
remise dans son enveloppe. Très soigneusement.
Sans hâte. Mais sans en terminer la lecture non
plus. Et j'avais eu le sentiment qu'elle avait déjà
lu cette lettre. Plusieurs fois. Mais, sur cela non
plus, je n'ai pas osé la questionner. D'ailleurs,
je n'aurais pas eu le temps. Car elle a tout de
suite levé la tête vers moi. Avec son air doux et
tranquille. Je me suis laissée tomber sur une
chaise, me penchant pour caresser Lou qui
venait de surgir du fond du jardin. Une odeur

de tomate et d'oignon provenait de la fenêtre grande ouverte de la cuisine. Adèle n'a rien dit, jusqu'à ce que je relève la tête à mon tour. Elle me regardait. Adèle a toujours fait ça : elle me regardait vraiment.

— Moi, je trouve que c'est vraiment très compliqué. L'amour…

Adèle a souri, avec un geste étrange. Elle a bougé doucement ses doigts sur l'enveloppe posée sur la petite table de jardin entre nous. Comme si elle la caressait. Une lettre de Joris ? Je mourais d'envie de savoir. D'entendre une histoire d'amour. Plus belle qu'au cinéma. Plus belle que dans les romans. Une vraie. Exaltante. Qui fait battre le cœur un peu plus fort. Et voir un peu plus grand.

— Nous nous écrivions toutes les semaines, Joris et moi. Après son retour à Amsterdam.

— Ah !… Il n'est pas resté ici, alors ?

— Il est rentré en Hollande, après la guerre.

Je lui ai jeté un coup d'œil, indécise. Quelque chose dans sa voix me retenait. Mais je n'ai pas résisté longtemps : je voulais tant savoir.

— Vous… Joris et toi, vous… Vous vous êtes retrouvés, n'est-ce pas ?

Un long moment, Adèle a gardé le silence. Son regard demeurait fixé sur l'enveloppe. Et sur ses doigts toujours posés dessus. Elle ne souriait plus, évadée dans ses souvenirs comme cela lui arrivait parfois. Lorsque nous parlions d'elle. J'ai eu peur, soudain. Peur de ce qu'elle allait répondre. J'attendais. Puis Adèle m'a fait un grand sourire. Qui, pour la première fois, me semblait un peu faux.

— Oui, nous nous sommes retrouvés… Hum! Ça sent vraiment bon, cette sauce pour les pâtes! Je me demande… Crois-tu que tu pourrais rester souper?

— Nous écrire toutes les semaines. Et nous retrouver un jour. C'était une promesse. Celle que nous avons faite, la veille de son départ.

Les journées d'été sont longues. Et ce milieu de juin était vraiment très doux. Adèle et moi avions décidé de manger au jardin. Je l'avais aidée à préparer le repas. Un souper de filles. Comme si j'étais avec Danaé, Lena et Marianne. C'est d'ailleurs ce que j'avais raconté à ma mère. Des pâtes multicolores en forme de cœur. Une sauce avec beaucoup de basilic et de tomates fraîches. Des tonnes, mais vraiment des tonnes de parmesan râpé. Et du Brio. Cette boisson gazeuse italienne à la fois amère et sucrée que je buvais parfois chez les Paolucci. Le plus jeune frère de Lena en raffolait.

Nous avions beaucoup ri. Beaucoup parlé. De tout, de rien. Mais pas de Joris. Plutôt de mes amis. De ma famille, un peu. De voyages surtout. Ceux que je ferais. Je voulais aller partout. Tant qu'un avion m'emporterait loin. Ceux qu'Adèle avait faits. En Europe, bien sûr. Mais aussi en Argentine et au Chili. En Australie. Et à Singapour. Elle avait beaucoup voyagé, Adèle.

Je savais qu'elle me parlerait d'Amsterdam. J'attendais qu'elle finisse de préparer ce fameux thé chai, sucré et épicé, qu'elle voulait me faire découvrir. Je tournais et retournais dans ma tête toutes les questions que je voulais tellement lui poser. Et puis le téléphone nous a toutes deux fait sursauter. Adèle a hésité. Avec un petit sourire d'excuse, elle a fini par répondre.

— Ah! c'est toi, ma chérie! Mais oui, je vais très bien. Et toi, comment vas-tu?

Ma chérie… Bien sûr, j'aurais dû y penser. Adèle devait avoir des enfants. Même si elle n'en avait jamais parlé. Une fille, assurément. Un fils aussi, peut-être. Qui devaient être assez âgés. Dans la cinquantaine, sans doute. Peut-être même avait-elle des petits-enfants? J'avais été égoïste: jamais je ne l'avais questionnée sur sa famille. Comme si Adèle m'appartenait, à moi seule.

L'appel s'étirait, et la voix d'Adèle commençait à laisser percer de l'agacement. Ses réponses devenaient de plus en plus brèves. *Oui. Non. Mais bien sûr. Ça va. Ne t'en fais pas.* J'avais l'impression qu'elle répondait sans cesse aux mêmes questions. Et j'ai eu envie de rire. Sa fille semblait avoir l'inquiétude très vaste, elle aussi! C'était sans doute cela, la fameuse roue qui tourne. Celle dont ma mère me rabâchait les oreilles, de temps en temps. Aujourd'hui, ma mère s'inquiétait pour moi ; un jour, je m'inquiéterais pour elle.

— Ma chérie, je dois te laisser. J'ai une amie à souper… Mais oui… j'ai préparé des pâtes. Délicieuses, d'ailleurs… Josiane ! Tout de même ! Je suis encore tout à fait capable de faire la cuisine pour recevoir des amis… Élaine, elle s'appelle Élaine… Non, tu ne la connais pas… Oui, elle est tout à fait charmante… Bon, allez, je t'embrasse. Bonne nuit, ma chérie !

Adèle a raccroché, avec un soupir. Puis elle s'est tournée vers moi. Avec un air un peu exaspéré. Comme celui de Marianne quand elle coupait la communication après un des nombreux appels de sa mère sur son cellulaire. Et nous avons éclaté de rire.

— C'est Josiane, ma nièce. Elle est vraiment très gentille. Généreuse. Et serviable. Mais, mon Dieu, qu'elle s'inquiète tout le temps !

Le fou rire nous a reprises. Ça n'en finissait plus. Repartait de plus belle chaque fois que l'une de nous se calmait. Dans les hoquets. Et les larmes. Puis nous avons fini par essuyer nos yeux et nos joues. Reprendre notre souffle. Adèle a poursuivi la préparation de son thé, interrompue par l'appel de sa nièce. Le soir tombait. Le crépuscule colorait l'horizon de teintes magnifiques, en harmonie avec les fleurs de son jardin. Me parlerait-elle d'Amsterdam, maintenant? De Joris?

— Je n'ai pas eu d'enfants... Mon seul regret...

— Joris n'en voulait pas?

Adèle n'a pas répondu, les yeux fixés au loin. Sur une image d'autrefois que je ne pouvais deviner. Puis elle s'est tournée vers moi. Jamais je n'avais vu de regard aussi triste. Sauf peut-être celui du père de Lena lorsque j'étais allée la voir à l'hôpital, le premier soir.

— Oh si, il en voulait. Nous en voulions quatre.

— Vous ne pouviez pas en avoir...?

Adèle a bu une longue gorgée de son thé. Puis elle a lentement reposé sa tasse sur la table de bois. Au moment où elle a relevé les yeux vers moi, j'ai su.

— Il n'a pas eu ses enfants avec toi...

Elle a secoué la tête. Elle ne disait rien, mais je ressentais toute sa tristesse. Une tristesse vieille de plus de soixante ans. Et je me suis demandé comment on pouvait vivre toute une vie avec une si grande peine.

— Ça n'a pas duré quand vous vous êtes retrouvés...?

Ma vieille amie s'est levée. Avec des gestes plus lents que d'habitude, elle a rempli une nouvelle théière. Elle a repris l'enveloppe jaunie posée sur le coin du petit secrétaire en bois sombre qui séparait la cuisine de la salle à dîner. De retour à sa place, elle l'a tournée et retournée un moment entre ses doigts.

— Nous nous sommes écrit souvent. Très souvent. Les premières années. À l'été 1951, une cousine de ma mère, dont elle avait toujours été très proche, nous a invités à passer quelques semaines chez elle. Dans le nord de la France, tout près de la frontière avec la Belgique. Elle avait été infirmière pendant la guerre et était restée là-bas, après son mariage avec un médecin français.

— Cet été-là, tu as revu Joris?

— Un matin, j'ai pris le train de Lille à Bruxelles. Je lui avais envoyé un télégramme. Je l'ai attendu à la gare... Quand il est descendu du train d'Amsterdam, je suis restée immobile. Je le voyais aller et venir d'un quai à l'autre, scrutant tous les visages de femmes. Effaré de ne pas me reconnaître. J'étais incapable de bouger. De me lever pour aller vers lui. De l'appeler.

— Je comprends, oui. C'était trop...

— C'était trop. C'est ça, c'était trop. Assise là, sur le banc, je ne savais même plus si mon cœur battait encore. Je voyais son dos, sur le quai de l'autre côté des rails. Ses cheveux blonds. Déjà, un train approchait. Et puis, juste avant qu'il entre en gare, Joris s'est retourné.

— Il t'a reconnue?

— J'ai vu ses yeux s'agrandir et un sourire illuminer tout son visage. L'instant d'après, le train était là. Dans un terrible vacarme. Ça m'a secouée, enfin. Je me suis levée, affolée. Ne sachant trop que faire. Puis je l'ai vu. Qui courait vers moi. Se rapprochant, toujours plus. Jusqu'à ce que je ne sente plus rien d'autre que ses bras autour de moi. Que je n'entende plus rien d'autre que sa voix répéter *Adèle! Adèle!* tout contre mon oreille. La même voix. Mais pas les mêmes bras. Des bras d'homme, désormais. Qui m'enlaçaient, cependant, aussi fort que cette nuit-là. La veille de son retour à Amsterdam, après la guerre.

J'avais eu du mal à m'endormir, ce soir-là. Celui du premier souper chez Adèle. J'étais rentrée songeuse. Peut-être un peu triste. Assez pour que ma mère me questionne.

— Tout va bien, Élaine?

— Oui. Un peu fatiguée... Je vais me coucher tout de suite.

L'histoire d'amour d'Adèle envahissait mon esprit. J'étais gavée d'images. Celles qu'elle m'avait montrées. Et celles que j'imaginais. La photo de la famille De Vries. Quand ils habitaient Ottawa. Avec, derrière les jumeaux, cet Alexander si beau, si blond. Le héros mort aux derniers jours de la guerre. Et la photo d'Adèle, avec ses tresses de douze ans, flanquée, de chaque côté, de Klara et de Joris. Tous deux aussi blonds que leur frère aîné. *Alex et Klara avaient les yeux verts. Ceux de Joris étaient brun très foncé, presque noirs,* m'avait dit Adèle en me tendant un autre cliché aux coins un peu écornés. Joris, à 23 ans. Au centre de la Grande Place de Bruxelles, cet été-là. Des traits un peu plus prononcés que ceux de son frère, mais un regard franc. Et le sourire de celui qui se sait aimé.

— Je les regarde rarement…

Adèle avait murmuré, les yeux toujours fixés sur le jeune homme en noir et blanc. Sur la table, parmi les photos éparses, j'avais repéré celle d'une jeune femme brune. De longs cheveux un peu vagués, à la mode de cette époque.

— Adèle, c'est toi?

— Oui, en 1953… Ou en 1954. Non, c'est bien en 1953. Je l'avais fait prendre un peu avant mon départ pour Boston.

— Tu étais tellement belle! Je veux dire…

Adèle avait ri. Et je l'avais regardée. Vraiment regardée. Il y avait les rides, bien sûr. Les traits plus affaissés d'une vieille dame. Et les cheveux plus fins, tout blancs. Mais les yeux bleus étaient les mêmes. Et le sourire. Elle était toujours belle, Adèle. De nouveau, j'ai détaillé la photo. Et mes yeux se sont remplis de larmes, soudain. Était-ce vraiment tout ce qui resterait d'Adèle un jour? Une photo en noir et blanc au fond d'un coffret… Le cliché d'une jeune femme heureuse d'aller retrouver l'homme qu'elle aimait, à Boston. Où il complétait ses études supérieures à l'université Harvard. Et qui en était revenue en larmes.

— Je te raconterai une autre fois, Élaine. Je suis trop lasse, maintenant.

Pourquoi Joris était-il à Boston ? Que s'était-il passé ? Je n'avais cessé d'inventer toutes sortes de scénarios, plus dramatiques les uns que les autres. Comment patienter jusqu'à ma prochaine visite chez Adèle ? Je voulais tellement qu'elle détruise ces scénarios. Qu'elle me rassure. Me dirait-elle que le malentendu entre elle et Joris avait été résolu ? Car il s'agissait certainement d'un simple malentendu… Je voulais effacer ces larmes dans le train de Boston. Elle avait dû être heureuse, Adèle. Oui, elle avait dû être heureuse. Je l'imaginais avec son tablier aux fleurs multicolores, son chapeau rouge coquelicot et ses beaux cheveux vagués. Dans son jardin. À Amsterdam, peut-être. Ou à Boston, qui sait ? Souriant au bruit des pas de Joris de retour à la maison. Leur maison.

Au matin, je me suis réveillée avec une boule dans l'estomac. Inexplicable. Et c'est ce jour-là qu'Alex…

— Élaine… ? Élaine !

Je ne l'ai entendu que la deuxième fois. Sans doute parce qu'il avait un peu haussé la voix. Mais je n'ai pas compris qui m'appelait avant de me retourner. Et je suis restée bouche bée. À pas rapides, Alex marchait vers moi. Un air sérieux sur le visage. D'un seul coup, la boule dans mon estomac s'est ranimée. Incapable d'articuler un mot, j'ai attendu. Les pieds collés au plancher.

— Élaine… Salut, Élaine ! Je… Je me demandais… Je voulais te demander… M'aiderais-tu… pour les maths ? Pour préparer l'examen.

J'avais les yeux scotchés sur lui. Muette. Je devais l'intimider à le dévisager comme ça, sans rien dire. Il balbutiait. Je ne l'avais jamais entendu s'exprimer avec autant d'hésitation. De gêne, même. Une idiote, une véritable idiote. Au bout du corridor, j'ai vu Lena et Adrien. Qui venaient dans notre direction. Non ! Je ne voulais pas qu'ils nous voient, Alex et moi, plantés devant les portes du secrétariat de niveau. Très vite, j'ai hoché vigoureusement la tête.

— Ben oui, je vais t'aider. C'est correct.

Il pouvait partir maintenant. Il aurait dû partir. Mais Alex restait devant moi. Continuant à bégayer. Du coin de l'œil, je voyais mes amis qui approchaient de plus en plus.

— Super ! Alors… Bon… Si on disait demain soir… en finissant l'école ? Tu pourrais ?… Demain ?

— Oui, oui, c'est correct. Demain, ça va très bien, demain.

Allait-il enfin déguerpir ? Avant que Lena et Adrien arrivent à notre hauteur. Dans mon estomac, la boule prenait tellement de place que je pouvais à peine respirer. J'ai fait un pas de côté. Je voulais m'enfuir. Me réfugier au fond de la classe. Je n'entendrais rien du cours de sciences, mais ça n'avait aucune importance. Je ne pouvais plus rester là, immobile au milieu du corridor, avec les yeux d'Alex dans les miens. Mais, de nouveau, je me suis figée sur place. À cause du geste d'Alex. Sa main sur mon bras.

— Attends, Élaine !

— Salut, Élaine !

Lena et Adrien sont passés près de nous, sans s'arrêter. Je les ai à peine regardés. Et je n'ai même pas répondu à leurs saluts. J'essayais simplement de respirer. Et de calmer mon cœur fou qui avait déserté ma poitrine. Battait désormais à grands coups dans mon bras. Juste sous la main d'Alex. Qui me brûlait la peau.

— Attends, Élaine… on n'a pas encore décidé… Pour étudier… je veux dire… On va étudier chez toi… ou chez moi… demain ?

—Je… Chez toi. Ce serait mieux chez toi. Chez moi, il y a mon petit frère…

Et ma mère. Et mon beau-père. Et je ne voulais surtout pas qu'ils rencontrent Alex. Qu'ils bavardent avec lui. Lui posent des questions. Encore moins qu'ils fassent des commentaires, après son départ. Je mourrais, c'est sûr.

— Chez moi, alors. Donc on se rejoint, demain, après l'école. Devant la porte de l'amphithéâtre. OK?

Alex ne balbutiait plus. Moi, je restais toujours paralysée. Avec mon cœur assourdissant et mes yeux agrandis fixés sur lui. Il m'a lancé *À demain!* Le sourire aussi grand que celui de mon frère quand il allait voir un match des Canadiens avec mon beau-père. Puis il a viré les talons. Courant presque. J'ai posé ma main sur mon bras, là où Alex venait juste de retirer la sienne. Là où c'était encore brûlant. Je devais, moi aussi, me dépêcher. Déjà, il n'y avait plus personne dans le corridor. Je ne sais plus très bien comment j'ai réussi à me rendre dans ma classe. La cloche venait de sonner. Tous les yeux se sont tournés vers moi. Je n'étais jamais en retard. C'est à peine si je m'en suis aperçue. À peine même ai-je remarqué les regards curieux d'Adrien et de Lena. Sous mes doigts, tout le cours, j'ai cherché la main d'Alex.

Il fallait que je lui dise. Comment pourrais-je attendre jusqu'au mardi suivant? Coup de chance, une voiture attendait Lena à la sortie de l'école. *À demain Élaine, je vais acheter le cadeau d'anniversaire de ma mère avec mon père.* J'ai attendu que la petite auto bleue disparaisse au bout du stationnement. Et je me suis précipitée chez Adèle. Sous une pluie d'été qui tombait dru. J'étais essoufflée, trempée. Tremblante. Mais ce n'était pas à cause de l'orage. Je n'avais rien entendu du cours de sciences, ni de celui d'histoire. Que pourtant j'adorais. Et surtout le prof, si drôle avec sa façon inusitée d'expliquer le sédentarisme des Iroquois et le nomadisme des Algonquiens.

Adèle me regardait, intriguée. C'était la première fois que je venais la voir deux jours de suite. Une foule de documents jonchaient la table de la cuisine. J'ai hésité, à peine. Je la dérangeais peut-être. Mais j'avais trop besoin de lui raconter.

— Adèle… Je… Alex… Je vais chez Alex demain, après l'école.

Le sourire d'Adèle s'est étiré, mais elle est restée silencieuse. Elle attendait que je poursuive.

— Il me l'a demandé... Pour étudier les maths. Tu crois que c'est bon signe? Je veux dire... Oh, Adèle...

— On n'invite pas n'importe qui chez soi.

— Tu penses?

Le sourire d'Adèle a fait pétiller ses yeux encore davantage. Comme lorsqu'elle me parlait de Joris, le plus souvent.

J'ai dû refuser le chocolat hollandais et les biscuits au sel de mer. Et je me suis de nouveau précipitée sous la pluie. Je devais garder mon petit frère. Ma mère et mon beau-père sortaient. Leur anniversaire d'amoureux, je crois. Je ne me souviens plus très bien. Ils sont rentrés tard. Très tard. Riant et chuchotant dans l'escalier. Mais ils n'ont pas réveillé Simon. Et moi, je me suis rendormie très vite. Je n'étais plus vraiment anxieuse. Alex ne m'aurait pas invitée chez lui si je n'étais pas déjà une amie à ses yeux. C'est ce qu'Adèle avait dit. Et je croyais tout ce qu'Adèle me disait.

Bien sûr, nous avons travaillé les maths, Alex et moi. Et même très intensément. Une bonne partie de la soirée. Mais je n'aurais jamais imaginé le reste... Tout le reste. Sa mère qui m'a accueillie comme si elle me connaissait déjà. Le sourire appuyé de son père. Leur invitation à manger avec eux. Les yeux d'Alex, posés sur moi chaque fois que je relevais la tête du livre de maths. Sa gentillesse. Sa simplicité. Plus rien du type un peu arrogant avec ses petites mouches bourdonnantes autour de lui. Il me regardait, moi. Il riait avec moi. Et il marchait tout près de moi, lorsqu'il m'a raccompagnée en fin de soirée. À pas lents. Très lents. Pour étirer le temps. Et puis, surtout… Son étreinte devant la porte de ma maison. Ses bras autour de ma taille. M'attirant contre lui. Les miens qui ne savaient plus très bien où se poser. Ses lèvres sur mes joues. Et sa bouche contre mon oreille.

— Élaine… j'aimerais que… Tu veux qu'on se voie, en fin de semaine ?

J'ai hoché la tête, muette. Avec l'impression que mes genoux céderaient à tout moment. Ébahie par les balbutiements d'Alex, devant moi. Tout près. Très très près. Avec ses doigts qui s'agrippaient aux miens. Et ses yeux verts. Tellement, tellement verts. Un dernier mot chuchoté. Une hésitation. Ses lèvres sur les miennes. Douces et légères. Puis Alex est reparti d'un pas vif, se retournant sans cesse pour me regarder. Avec son sourire d'enfant émerveillé. Tandis que je restais collée sur le pas de la porte. Stupéfaite. Et saoulée. D'étonnement, et d'une joie si forte que j'ai cru qu'elle allait m'étouffer. Je n'ai pas bougé. Jusqu'à ce que je ne distingue plus sa silhouette au bout de la rue.

Juste avant de rentrer, j'ai perçu un mouvement à la fenêtre du deuxième étage de la maison d'en face. Le balancement fluide d'un rideau qu'on referme. Lena nous avait-elle aperçus, Alex et moi ? J'ai souri. Oui, peut-être… Mais quelle importance ! Qu'elle le dise à Adrien. Et le répète à Danaé. Et à Marianne. Et à l'école au complet, si ça lui chantait. Alex me trouvait belle. Alex me trouvait brillante. Alex me trouvait drôle. Alex me trouvait parfaite. Si parfaite qu'il avait été trop intimidé pour me le dire, avant. Jamais je ne m'intéresserais à lui, croyait-il. Mais où avait-il pu pêcher une idée pareille ?

— On est si vulnérable lorsqu'on tombe amoureux.

Le mardi suivant, ma vieille amie m'avait accueillie avec le même sourire qui tissait toute une dentelle de rides au coin de ses yeux. Sans attendre le chocolat et les biscuits salés, je lui ai tout déballé. Fébrile. Heureuse. Et encore tout étonnée. Alex… Qui se promenait désormais en me tenant par la main. Sans jeter le moindre coup d'œil sur l'essaim de mouches blondes et brunes qui persistaient à bourdonner autour de lui en mon absence. J'avais vu. J'avais bien vu. C'est moi qu'il regardait, tandis que je me dirigeais vers lui dans les corridors de l'école. Avec ce sourire qui m'éblouissait. Dépitées, les mouches me toisaient avec dédain. S'agitaient plus que jamais. Avec indifférence, il les écartait pour venir à ma rencontre.

— Vulnérable?

Adèle est restée silencieuse, le temps de finir de composer un énorme bouquet de pivoines. Puis, déposant son sécateur sur la petite table du jardin, elle est entrée dans la maison.

— Tu viens, Élaine?

Dans la cuisine, Adèle a sorti un joli vase en cristal. Qu'elle a rempli d'eau. Avant de le déposer au centre de la table. D'y mettre son bouquet. De replacer les tiges pour former une boule rose et odorante. Puis de se reculer afin d'en vérifier l'harmonie. En silence. Et avec les gestes mesurés qu'elle adoptait toujours lorsqu'elle réfléchissait. Ou qu'elle s'apprêtait à me confier des bribes de son histoire. Enfin, elle a enlevé son chapeau coquelicot qu'elle a placé sur le coin de la table. Retiré son tablier, qu'elle a simplement accroché au dossier d'une chaise. Et elle s'est assise face à moi. J'attendais, les yeux rivés sur elle. Lou est venue fureter autour de nous. Assise aux pieds d'Adèle, elle l'observait. La tête un peu penchée, comme sa maîtresse. N'y tenant plus, elle s'est levée sur ses pattes arrière pour s'appuyer sur les genoux d'Adèle. Attendant qu'elle la prenne dans ses bras pour la poser sur ses cuisses. Où la petite chienne s'est roulée en boule avec un grand soupir.

Adèle a éclaté de rire, mais n'a pu s'empêcher de caresser la tête noire et blanche de Lou qui fermait les paupières d'aise.

— Je la gâte vraiment trop !

— Adèle ? Tu crois vraiment qu'on est faible quand on est amoureux ?

— Pas faible, vulnérable. Tout nous atteint. Mais on fait comme si. Et on interprète tout. De travers, le plus souvent.

— Hum… Oui… Peut-être…

Assurément, Marianne était vulnérable. Chaque dispute avec Nico la faisait souffrir. Chaque sourire un peu trop appuyé qu'il adressait aux autres filles la faisait souffrir. Tandis qu'Adrien retenait maintenant le moindre commentaire. Mais il n'y avait qu'à lui jeter un regard pour comprendre. Avant qu'il ne s'éloigne, nous laissant consoler Marianne encore une fois. Vulnérable, lui aussi. Et moi ? Je crois, oui. C'était si nouveau. J'avais déjà été amoureuse avant. En vain. Antoine Blondin avait préféré Lena. Avant de la planter là brusquement pour une autre. Et puis, il y avait eu Théo. Mon meilleur ami en secondaire II. Dont je n'avais plus su si j'étais amoureuse ou non. Jusqu'à ce qu'il déménage à la fin de l'année scolaire. Il vivait à Sherbrooke, maintenant. De temps en temps, nous bavardions sur Facebook. Mais Alex… J'étais si amoureuse, et lui aussi.

— Toi, Adèle… tu te sentais vulnérable ?

Adèle a hoché la tête en éclatant de rire. Lou a sursauté, puis s'est réinstallée avec un nouveau soupir. De réprobation, cette fois. Pourquoi l'avait-on dérangée dans ses rêves?

— Oh! mon Dieu… J'étais anéantie si sa lettre tardait trop. Que lui était-il arrivé? Il était rentré en Hollande? Ou peut-être ne m'aimait-il plus? Puis mon cœur s'emballait à la vue d'une enveloppe bleue dans ma boîte aux lettres. Je la relisais cent fois. Mais s'il me racontait qu'il partait pour le week-end de la Thanksgiving chez des amis, j'échafaudais cent scénarios. Et s'il rencontrait une autre femme?

Je regardais Adèle, émue. Je voyais bien les rides et les cheveux blancs. Mais je voyais surtout une jeune femme aux longs cheveux bruns vagués avec un sourire lumineux et un regard bleu d'amoureuse. Toute la force et la douceur qui émanaient d'elle. Joris avait dû l'aimer si fort! Comment aurait-il pu en être autrement?

— Et c'est pour ça que tu pleurais dans le train en revenant de Boston? À cause d'une autre fille?

— Dans le train…? Ah non! Je pleurais parce que je devais le quitter, encore une fois.

— Tu le retrouvais souvent, là-bas?

— Dès que j'avais un long congé. Aux vacances d'été, bien sûr. Mais aussi à Pâques, à Noël, à l'Action de grâces. Pendant un peu plus de trois ans. Parfois, c'était lui qui venait à

Montréal. Une fois, nous nous sommes même retrouvés à Ottawa. Nous sommes retournés sur la rue de notre enfance.

Adèle s'est tue, soudain. Émue. J'attendais, le cœur serré. Elle avait détourné la tête, et je voyais une larme couler tout doucement le long de sa joue. Sans qu'elle fasse le moindre geste.

— Rien n'avait changé. La maison qu'il habitait alors. La mienne. La cour mitoyenne séparée par une haie de cèdres. Le hangar où nous nous étions endormis, la veille de son retour à Amsterdam après la guerre. Sur un vieux sofa que ma mère détestait mais dont mon père hésitait à se débarrasser. Un cadeau de ses parents… Non, rien n'avait changé.

Adèle s'est de nouveau tournée vers moi. Avec ce regard si bleu. Si jeune. Celui de l'amour. Elle ne pleurait plus, mais ses yeux brillaient. Lumineux comme après un orage.

— Tout est tellement pareil, m'a dit Joris. Tu avais aussi une robe bleue, au matin de mon départ pour la Hollande. Toute froissée.

— Joris s'en souvenait?

— Oui… Moi aussi, je me rappelais cette robe bleue de mes quinze ans. Semblable à celle que je portais ce jour-là. Une robe chemisier bleu pâle, très cintrée à la taille. Qu'il aimait beaucoup. Parce qu'elle rendait mes yeux encore plus bleus… Je n'ai jamais réussi à m'en départir.

— Tu veux dire que… tu l'as gardée?

Adèle m'a fait un drôle de petit sourire. La tête un peu penchée. Ses mains allaient et venaient dans la fourrure de Lou. Qui faisait semblant de dormir, je l'aurais parié. Juste pour que les caresses ne cessent pas.

— Oh! Adèle, je peux la voir?

L'été, le véritable été, est arrivé le lendemain d'un seul coup. Le jour de l'examen de maths. Avec une canicule étonnante pour un 20 juin. Et l'effervescence annonçant déjà la fin des classes. Trois jours plus tard, l'humidité et la chaleur étouffante n'avaient pas cessé. Et tous s'étaient dispersés.

Lena avait pris l'avion pour l'Italie avec sa *nonna*. Elles passeraient presque deux mois chez le frère de sa grand-mère qui vivait encore là-bas. Le père de Lena tenait à ce qu'elle connaisse ses origines et maîtrise l'italien. Là-bas, dans une petite ville d'Ombrie, elle travaillerait à la *gelateria* d'un cousin. Danaé, elle, avait été expédiée à Vancouver. Chez une amie de sa mère. Elle y suivrait des cours intensifs. Histoire d'améliorer son anglais. Mais c'était aussi, je crois, une façon de l'éloigner pendant les dernières étapes du divorce et, surtout, du déménagement de son père. Marianne, pour sa part, passait l'été au ranch d'un de ses nombreux oncles. Le père de mon amie était l'aîné d'une famille de sept ou huit garçons qui avaient tous des métiers un peu saugrenus. Je ne savais jamais lequel était lequel. Marianne travaillait au ranch tous les étés depuis plusieurs années. Et elle adorait les chevaux.

Seuls Adrien et moi sommes restés en ville. Il avait dégoté un emploi au dépanneur avec station-service du boulevard, à quelques rues de chez moi et de chez Adèle. Je travaillais juste en face. À la crémerie d'un ami de mon beau-père. Le midi, nous prenions notre pause ensemble. Et, à la fin de sa journée de travail, il venait manger une crème glacée. Depuis notre conversation dans le stationnement de l'école, il n'avait plus reparlé de ses sentiments pour Marianne. J'espérais que ça lui passerait pendant l'été. Ou que Marianne, loin de Nicolas, ouvrirait enfin les yeux.

Alex aussi venait tous les jours à la crémerie. Parfois à l'heure du lunch. Le plus souvent à la fin de sa journée de travail au Canadian Tire. Chaque fois que je relevais la tête sur ses yeux verts, je fondais comme une glace au soleil. *Un beau garçon, ton petit ami!* avait déclaré ma mère, la première fois qu'il était venu à la maison. *Il a l'air d'avoir une tête sur les épaules,* avait ajouté mon beau-père. Mon petit frère, lui, n'avait rien dit. Il était mieux. Je l'aurais assommé s'il avait osé dire une niaiserie. Mon père non plus n'avait rien dit. Mais, à sa façon de lui parler, j'avais compris: il approuvait.

Adèle aussi avait approuvé. Je gardais toujours ma vieille amie secrète. Ou presque. J'en avais parlé à Adrien. Et un soir où Alex n'avait pas de pratique de soccer, je l'avais amené avec moi. Nous avons passé cette merveilleuse soirée de fin juillet dans le jardin d'Adèle. De temps en temps, elle nous regardait à tour de rôle. Elle penchait alors la tête légèrement. Avec ce sourire que je lui connaissais bien.

— Vous êtes beaux tous les deux !

Alex avait ri, gêné. Moi, j'avais perçu une ombre derrière les petites étoiles dans ses yeux. Le fantôme de Joris. Et de cet amour d'une vie. Dont j'ignorais encore tant de choses. Comment leur belle histoire s'était-elle terminée ? Adèle n'en avait rien dit. Et tout au long de l'été, elle ne m'a raconté que des souvenirs heureux. Leurs jeux d'enfants, à Ottawa. Avec Klara. Les étés à Boston. Leur escapade à New York, à Pâques. Quelques semaines à peine avant le retour définitif de Joris à Amsterdam. Où Adèle devait le retrouver dès l'automne. Cette fois, pour y rester.

— Nous avions prévu annoncer à nos parents que nous voulions nous marier…

C'était prévu, oui. Mais le rêve s'était éteint. D'un seul coup. Et rien n'aurait pu le faire renaître. C'est ce que m'avait enfin confié Adèle la veille de mon départ en vacances avec mon père. Tout un avenir écroulé en quelques mots. À cause de quelques heures d'égarement. Et de l'enfant, bien sûr. Cet enfant imprévu qui venait anéantir le rêve. Mais pas l'amour. Ça, non. Elle aurait voulu. Par moments, oui, elle aurait voulu. Tout au long des semaines, des mois qui ont suivi la visite éclair de Joris à Montréal. Pour le lui annoncer. Sans oser vraiment la regarder dans les yeux. Adèle n'avait rien dit. Elle s'était levée, muette. Et avait quitté le café de la gare. Sans se retourner pour regarder Joris. Qui n'avait pas bougé. La tête toujours penchée sur sa tasse de café qui refroidissait.

Elle aurait voulu, oui. Elle aurait tant voulu, Adèle. Le détester. L'oublier, au moins. Mais elle l'aimait, et rien n'y changerait rien. Même les dégâts d'un unique soir, chez des amis de Boston. Un peu trop d'alcool. Et une jeune femme. Jolie, et blonde. Comme les Américaines savent l'être. Plus délurée que les autres. Qui l'avait regardé toute la soirée avec une lueur différente dans les yeux. Et Joris, son Joris, était parti avec elle à la fin de la soirée. L'avait amenée dans cet appartement où elle avait effacé la trace d'Adèle.

Il était un homme bien, Joris. Un homme d'honneur. Alors, il a épousé la mère de son enfant. Même s'il en aimait une autre. Et qu'il l'aimerait toujours, lui avait-il juré dans une lettre écrite quelques jours après la naissance de son fils. L'enfant était né à l'automne, à Amsterdam. Il s'appelait Alexander.

— Tu ne l'as jamais revu ?

— Une fois. Une dizaine d'années plus tard. À New York. Il s'engouffrait dans un taxi devant l'hôtel où je venais juste d'arriver. J'ai entendu une voix lancer *To the airport, please !* Cette voix, je l'aurais reconnue entre toutes. En une fraction de seconde, tout resurgissait en moi. Mais il ne s'est pas retourné, ne m'a pas aperçue. Et je n'ai rien fait pour attirer son attention. Voilà.

Voilà. L'histoire d'Adèle et de Joris s'arrêtait là. Devant le hall d'un hôtel de New York. C'était bête. C'était injuste. Et ça me révoltait. Je pleurais. De colère. De déception. De l'autre côté de la table, face à moi, Adèle ne disait plus rien. Mais ses doigts ne cessaient d'aller et venir dans le poil soyeux de Lou. Et la tristesse, sur son visage, me poignardait le cœur. Puis elle a tourné ses yeux bleus vers moi. Cette fois, elle irait jusqu'au bout de ses confidences.

— Six ans plus tard, à la fin de l'été, j'ai reçu une courte lettre de Klara. Son frère lui avait demandé, un jour, de m'écrire si jamais… Joris était mort deux mois plus tôt. En sauvant son fils de la noyade. Comme Alex, il était mort en héros.

3 septembre

Une voiture. Puis une autre, longtemps après. Tout était tranquille. Trop tranquille. Je n'ai pas bougé. Devant la maison d'Adèle, la pancarte de l'agent immobilier me narguait. Vendre. Ce n'était tellement pas dans ses intentions. Tout l'été, elle m'a parlé de travaux qu'elle voulait entreprendre. La toiture à refaire. Quelques arbres à élaguer. Les bulbes de tulipes qu'elle planterait pour le printemps prochain.

Pourquoi a-t-elle changé d'idée? A-t-elle soudain décidé de déménager en résidence? Ça ne lui ressemble tellement pas. Est-elle tombée malade pendant mon absence? Pourtant, tout allait bien cet été. Je retrouvais toujours le même regard accueillant. Le même sourire. La peau fine et douce d'Adèle lorsque je l'embrassais sur la joue. Ses mains tavelées caressant Lou à moitié endormie sur ses genoux. Ce jardin où nous avons passé toutes ces semaines, toutes ces soirées de confidences. C'était le jardin d'Amsterdam. Où elle n'était jamais allée, finalement.

Une voiture s'est engagée dans la rue, est entrée dans la cour de la maison voisine. Toute la famille est descendue en claquant les portes. Le père a ouvert le coffre, a sorti les valises, une glacière, des raquettes de tennis. La mère a attrapé deux sacs d'épicerie tandis qu'un garçon dégingandé de douze ou treize ans se dépliait et qu'une fillette se lamentait. *J'ai faim, maman! On mange quoi?* Retour de vacances. À tour de rôle, les parents m'ont jeté un coup d'œil. Ils ont dû me voir tant de fois depuis le printemps. La femme a hésité. Puis, vaincue par les plaintes de sa fille, s'est hâtée pour préparer le repas. *Cesse de pleurnicher! On est tous fatigués et on a tous faim!*

Je ne savais plus depuis combien de temps j'étais là. Prostrée dans l'escalier de la maison d'Adèle. Sur l'écran de mon cellulaire, un texto d'Alex. *Tu viens me rejoindre après le match?* 15 heures 20. Voilà près de cinquante minutes que j'attendais. Quoi? Je ne savais pas. Mais je savais qu'une boule dure se formait peu à peu dans mon estomac. Et que j'avais peur.

Puis une autre voiture s'est approchée. Avec une femme au volant. Seule. Qui a plissé les yeux en m'apercevant. A arrêté le moteur et est descendue. S'est avancée vers moi tandis que je me levais.

— C'est toi, Élaine?

J'ai hoché la tête. La boule qui serrait ma gorge m'empêchait d'articuler un seul mot.

— Je suis Josiane, la nièce d'Adèle.

De nouveau, j'ai hoché la tête. Elle paraissait plus jeune que je ne l'imaginais, cette nièce inquiète. Le milieu de la trentaine, peut-être. Aucune ressemblance avec ma vieille amie. Sauf la couleur des yeux. Qui me fixaient. Elle a ouvert la bouche, l'a refermée. Et tout à coup, j'ai su. Je savais ce qu'elle me dirait. Et que je ne voulais pas entendre.

— Ma tante m'a parlé de toi... Je...

J'étais plongée dans le bleu de ses yeux. Je n'en bougeais pas. Immobile. Muette. Je ne l'aidais pas. Je ne voulais pas l'aider. Qu'elle ose me dire l'innommable.

— Son cœur... Elle est décédée. Lundi dernier. Elle a... Elle a été incinérée jeudi.

— Non.

Je n'ai pas crié. Je n'ai pas pleuré. Je refusais. C'est tout. Je refusais. Adèle ne pouvait pas être partie, comme ça. Voilà une semaine, déjà. Elle devait m'attendre. Me montrer son jardin en automne. Nous devions célébrer son quatre-vingt-troisième anniversaire de naissance, Alex et moi, en octobre. Nous avions choisi le livre que nous lui offririons. Adèle ne pouvait pas être partie sans m'avertir. Je ne l'ai pas su, là-bas, tandis que je lézardais sur une plage de Cape Cod.

— Je suis désolée, Élaine. Elle t'aimait beaucoup.

— Comment le savez-vous ?

— Elle m'a souvent parlé de toi.

Josiane me regardait toujours, avec une trace de la bienveillance d'Adèle dans les yeux. Lentement, très lentement, ses mots se faufilaient partout dans mon corps. Aucune larme ne montait, mais je tremblais. Jusque dans mes os. J'ai tourné la tête vers la pancarte.

— Je dois la vendre. J'ai déjà une maison. Aucun des membres de la famille n'en veut. Je dois me dépêcher de tout vider. L'agent immobilier a peut-être déjà un acheteur potentiel. Un jeune couple. La femme est horticultrice et est tombée en amour avec le jardin.

J'ai regardé Josiane de nouveau. Un jeune couple. C'était bien. Des amoureux pour continuer à faire vivre le jardin d'Adèle.

— Vous avez envoyé un mot à Klara? Adèle m'a dit qu'elle vivait toujours à Amsterdam. Avec son fils cadet, je crois.

— Klara?

— Oui, son amie Klara. La sœur de Joris.

— La sœur de Joris?

— Mais oui, Joris! Son amoureux, lorsqu'elle était jeune. Vous savez, les De Vries, qui étaient les voisins de sa famille à Ottawa.

Josiane me dévisageait, sourcils froncés. J'ai presque eu envie de la secouer. Elle faisait exprès ou quoi?

— Mes grands-parents ont bien habité quelques années à Ottawa, quand ma mère était bébé. Adèle avait alors douze, treize ans. Elle était l'aînée et avait une dizaine d'années de différence avec ma mère. Mais je n'ai jamais entendu parler de ces voisins hollandais.

— Oui, les De Vries. Adèle, Klara et Joris étaient toujours ensemble. Puis, plus tard, Adèle et Joris se sont revus. À Bruxelles. Quand votre grand-mère est allée rendre visite à sa sœur, qui était restée en Europe après la guerre. Ils étaient amoureux, Adèle et Joris. Ils devaient…

— La sœur de ma grand-mère en Europe ? Vraiment, Élaine, je ne sais pas de quoi tu parles.

— Mais oui, la tante d'Adèle et de votre mère était infirmière. Elle a épousé un médecin français après la…

Sidérée, je me suis tue soudain. Josiane me fixait toujours, avec un air de plus en plus stupéfait. Inquiet, même. De nouveau, j'entendais mon cœur battre dans mes oreilles. Le souffle court. Les larmes me montaient aux yeux. La voix de Josiane me parvenait de loin. Calme et toute douce. Presque un murmure.

— Vraiment, Élaine, je suis désolée… Ma tante n'a jamais été mariée et je ne crois pas non plus qu'elle ait eu un amoureux ou même un amant de passage. C'était une vraie de vraie vieille fille. Elle a dû inventer tout ça. Je ne sais pas trop pourquoi. Adèle avait beaucoup d'imagination, je pense. Ma mère disait que, lorsqu'elle était… Élaine ! Élaine !

Je n'écoutais plus. J'ai reculé, lui ai tourné le dos. Je ne voulais plus voir cette femme qui me racontait des mensonges. Qui me parlait d'une Adèle qui n'était pas la mienne. Une Adèle fabulatrice aux amours inventées. Je ne voulais plus l'entendre. Alors, j'ai traversé la pelouse. Vite, de plus en plus vite. Puis je me suis élancée sur le trottoir. J'ai couru, couru. Loin de la voix de Josiane. Loin de la maison d'Adèle. Loin du jardin d'Amsterdam.

27 octobre

— Élaine ? C'est toi ?

La porte de la maison s'est refermée brutalement derrière moi. La faute du vent fou d'octobre, et de ma précipitation. Je jette mon manteau sur le dossier d'une chaise. Au milieu du couloir, la tête de ma mère émerge derrière une pile de serviettes, toutes propres et pliées. Au passage, je lui ouvre l'armoire de la salle de bain.

— Salut, maman ! Je dois me dépêcher. C'est le match d'Alex, ce soir.

— Ah ! mais je ne peux pas…

— Je sais, tu as une réunion. C'est le frère de Lena qui va tous nous déposer, en passant. Adrien et Danaé viennent. Et Marianne sera déjà là, avec Nico.

— Ah ! ils sont revenus ensemble, ces deux-là ?

— Pour la deux centième fois, oui ! Je monte vite me changer. Il y a quelque chose pour me fabriquer quelque chose à manger vite fait ?

— Du jambon, du fromage. Et du pain baguette tout frais. Bon, allez, monte te changer. Je vais te préparer un sandwich.

— Merci, maman !

— Ah ! Élaine, j'ai déposé une boîte sur ton lit. Quelqu'un est venu t'apporter ça ce midi.

La boîte m'attend, au milieu du lit. Sur le dessus, mon nom et mon adresse. Une écriture fine, un peu hésitante. Que je ne connais pas. Je suis pressée, mais trop curieuse. Une grande feuille blanche sur le dessus. D'une écriture différente. *J'ai enfin terminé de vider la maison. Les nouveaux occupants s'installeront au début du mois prochain. Voici les objets qu'Adèle m'a demandé de te remettre. Merci, Élaine, d'avoir été là pendant les derniers mois de sa vie.* Et une signature : *Josiane.* Lentement, je m'assois sur le lit. Les larmes m'aveuglent.

Le tablier. Et le chapeau coquelicot. Par-dessus une boîte de chocolat hollandais, les biscuits au beurre salé, des lettres jaunies entourées d'un ruban mauve. Et le coffret en métal. Voilà. Ils sont tous là.

Adèle, Klara et Joris dans la cour de la maison d'Ottawa. En 1944. Les noms et la date inscrits à l'endos de la photo. De la même écriture fine, mais plus assurée. Alexander, Joris et Klara, octobre 1942. Klara, avec son mari et ses deux enfants. Photo prise à Amsterdam, en 1966. Joris, sur la Grande Place de Bruxelles, été 1951. Adèle, sur la

Grande Place de Bruxelles, été 1951. Adèle, avec ses beaux cheveux vagués. La seule photo non datée. Celle faite par un photographe en 1953, avant son premier séjour à Boston. Klara et Joris, devant la maison des De Vries, à Amsterdam. En novembre 1945. Les éclats des mitrailleuses très clairs sur le mur, à gauche, derrière les jumeaux. Adèle, en robe de nuit, Boston, 4 août 1954. Joris, endormi, torse nu, les draps jusqu'à la taille. 13 août 1955. Adèle et Joris, devant le café de la gare de Boston. 15 août 1955. Adèle qui, je le devine, porte sa robe chemisier bleu pâle.

Je pleure, et je ris. Adèle n'a rien inventé. J'ouvre l'enveloppe blanche sur laquelle mon nom est inscrit de la même écriture fine. Celle d'Adèle.

Ma très chère amie Élaine,

L'amour n'est jamais compliqué. C'est ce qui est autour qui est compliqué. J'ai aimé Joris plus que tout. Et il m'aimait plus que tout. Nous l'avons su dès notre enfance, sans doute. Mais nous en avons été certains la veille de son retour à Amsterdam, après la guerre. Nous avions quinze ans. Ce soir-là, pendant que tous s'agitaient en tous sens, nous avons fait l'amour pour la première fois. Quand nous nous sommes enfin retrouvés, à Bruxelles, six ans plus tard, nous avons su tout de suite que c'était comme avant. Le temps n'avait rien changé. Nous nous sommes quittés, sur le quai de la gare de

Bruxelles, en sachant que tout serait toujours comme avant. Et c'est ce qu'il m'a dit quand je suis allée le retrouver à Boston, la première fois, en 1953. Nos sentiments ne se sont jamais éteints. Même après qu'il soit rentré définitivement au Pays-Bas, avec sa femme et son fils. Je le sais. Klara me l'a écrit dans sa lettre m'annonçant sa mort. Tu la liras toi-même, si tu veux.

Tu es la seule à connaître mon unique histoire d'amour, celle qui a duré toute ma vie. Je n'en ai jamais parlé à personne. Pour ma famille, j'étais déjà une fille un peu trop moderne. Je travaillais. J'avais mon propre appartement à Montréal. Je fréquentais un groupe d'amis, des garçons et des filles, trop libres, trop délurés au goût de mes parents. Je n'allais pas leur raconter que je vivais chaque été avec l'homme que j'aimais comme si j'étais sa femme. Je serais devenue à leurs yeux une fille perdue. Ça ne se faisait pas de mon temps, ces choses-là. Je regrette que Joris et moi n'ayons pas vécu notre jeunesse à la même époque que toi. Ce qui était autour aurait peut-être été moins compliqué…

Je suis très vieille maintenant, et ma santé toujours de plus en plus fragile. Je sais que Josiane trouvera de bons acheteurs pour ma maison, et surtout mon jardin. Je ne suis pas inquiète. Je te confie la trace de mon histoire d'amour en souhaitant que, tout au long de ta vie, ce qui tournera autour de tes amours à toi soit simple…

Adèle

Je replie la lettre, la glisse tout doucement dans l'enveloppe que je referme. Je ris, et je pleure.

OUVRAGE RÉALISÉ PAR
LUC JACQUES, TYPOGRAPHE
ACHEVÉ D'IMPRIMER
EN SEPTEMBRE 2013
SUR LES PRESSES
DE MARQUIS IMPRIMEUR
POUR LE COMPTE DE
LEMÉAC ÉDITEUR, MONTRÉAL

DÉPÔT LÉGAL
1re ÉDITION : 3e TRIMESTRE 2013
(ÉD. 01 / IMP. 01)